our apprendre à **dessiner** en s'amusant !

nimaux et nature

es animaux du Grand Nord ▪ Les animaux d'Afrique ▪ Les animaux de la forêt ▪
es animaux de la maison ▪ Les animaux de la ferme ▪ Les animaux du monde ▪ La mer ▪
a campagne ▪ La montagne ▪ Le bord de l'eau ▪ Les dinosaures ▪ Les oiseaux du monde ▪
es chiens ▪ Chevaux et poneys ▪ Les chats ▪ Les fleurs ▪ Les dragons ▪ Les bébés animaux ▪
e poney-club ▪ La ferme ▪

ersonnages

es contes ▪ Le cirque ▪ La famille ▪ L'école ▪ Les monstres ▪ Les sports ▪
a crèche de Noël ▪ Noël ▪ Les princesses ▪ Les fées ▪ La danse ▪ Les sirènes ▪

Métiers

es pompiers ▪ Chez le vétérinaire ▪ Le garage ▪

Histoire

'Égypte ▪ Chevaliers et châteaux forts ▪ Les Gaulois ▪ La préhistoire ▪ Les pirates ▪

Moyens de transport

es voitures et les motos ▪ Les camions ▪ Les avions ▪ Les bateaux ▪
es trains ▪ Les engins de chantier ▪

echniques

essiner les belles lettres ▪ Peindre à la gouache ▪ Dessiner au compas ▪
essiner au crayon de couleur ▪ Découper ▪

Hors-série

es animaux préférés de A à Z ▪ Mes personnages préférés de A à Z ▪
Histoire de France ▪

es compilations

a nature ▪ Les animaux lointains ▪ Peindre et dessiner ▪ Un monde magique ▪
réer de jolis décors ▪ La vie quotidienne ▪ Les moyens de transport ▪
es princesses et les chevaliers ▪

Philippe Legendre

J'APPRENDS À DESSINER

chevaliers et châteaux forts

FLEURUS

www.fleuruseditions.com

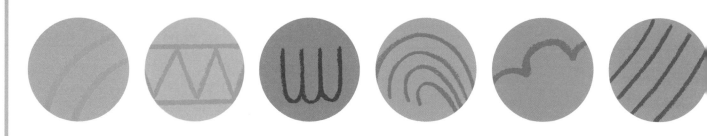

Tous les enfants savent dessiner un rond, un carré, un triangle…
Alors, ils peuvent aussi dessiner un château fort, un roi et un chevalier.
Notre méthode est facile et amusante. Elle apporte à l'enfant une technique
et un vocabulaire des formes dont se sert tout dessinateur.
La construction du dessin se fait par l'association de formes géométriques
créant un ensemble de volumes/surfaces. Il suffit ensuite, par une ligne droite,
courbe ou brisée, de donner son caractère définitif à l'esquisse.
En quelques coups de crayon un motif apparaît,
un peu de couleur et voici réalisée une belle illustration.
Cette méthode propose un apprentissage de la technique
et une première approche de la composition, des proportions, du volume,
de la ligne. Sa simplicité en fait une méthode où le plaisir
de dessiner reste au premier plan.

PHILIPPE LEGENDRE
Peintre-graveur et illustrateur, Philippe Legendre anime
aussi un atelier de peinture pour les enfants de 6 à 14 ans.
Intervenant souvent en milieu scolaire, il a développé
cette méthode pour que tous les enfants puissent
accéder à l'art du dessin.

**Chaque dessin est fait à partir d'un petit nombre de formes
géométriques qui sont indiquées en haut de la page.
C'est ce qu'on appelle le vocabulaire de formes.
Il peut te servir à t'exercer avant de commencer le dessin.**

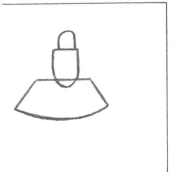

1. Fais l'esquisse du dessin au crayon
et à main levée. Attention, pas de règle
ni de compas !

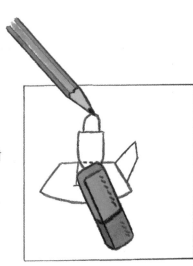

2. Les pointillés indiquent
les traits de construction
qui doivent être gommés.

3. Une fois ton dessin terminé,
colorie-le. Si tu veux, repasse
en noir le trait de crayon.

Et maintenant, à toi de jouer !

vocabulaire de formes

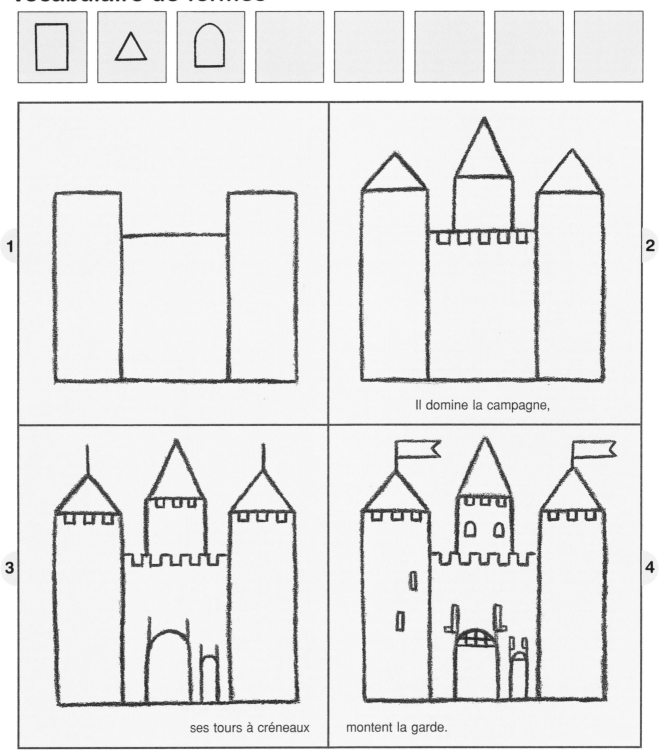

Il domine la campagne,

ses tours à créneaux

montent la garde.

Le château fort

vocabulaire de formes

1 — Il souffle

2 — dans sa trompette

3

4 — pour que la fête commence.

Le sonneur

vocabulaire de formes

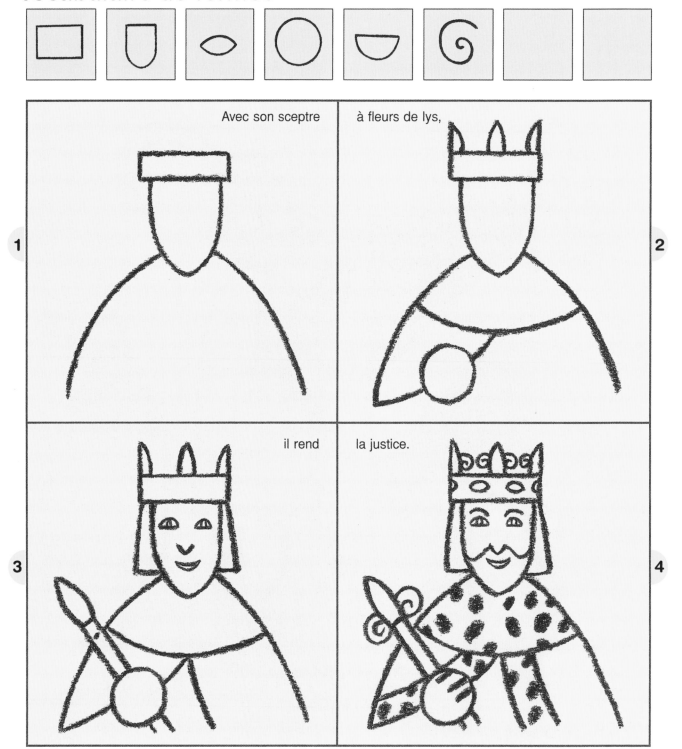

1 Avec son sceptre

2 à fleurs de lys,

3 il rend

4 la justice.

Le Roi

vocabulaire de formes

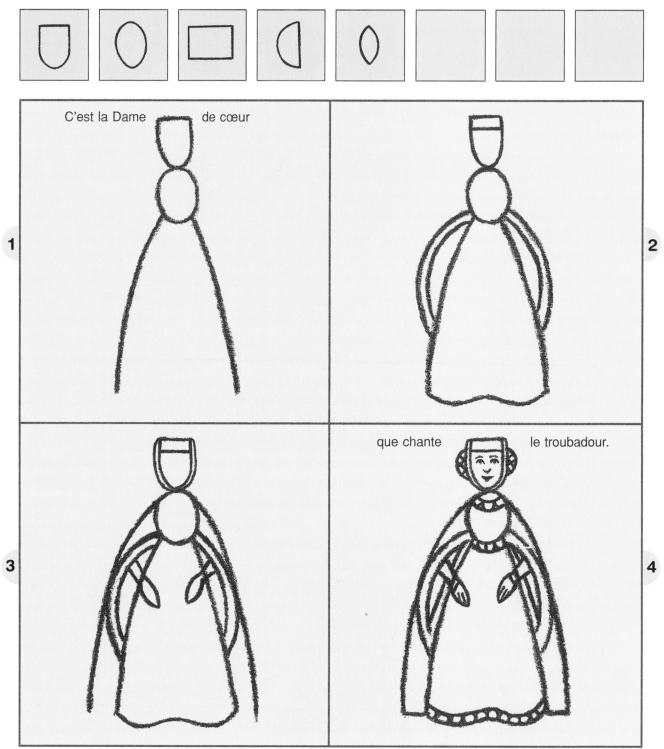

1 C'est la Dame de cœur

2

3

4 que chante le troubadour.

La Dame

vocabulaire de formes

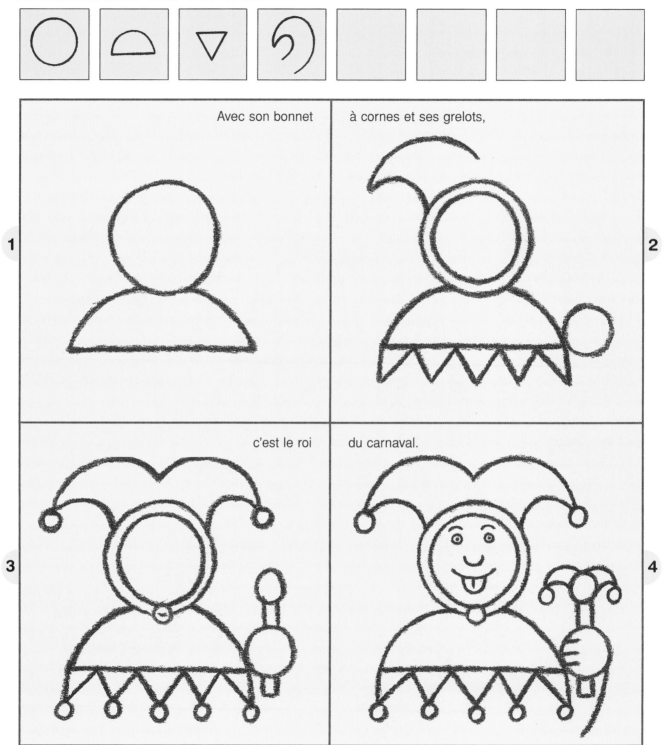

1. Avec son bonnet

2. à cornes et ses grelots,

3. c'est le roi

4. du carnaval.

Le fou

vocabulaire de formes

1

On en voit encore dans nos villes,

2

elles sont vieilles mais solides.

3

4

La maison médiévale

vocabulaire de formes

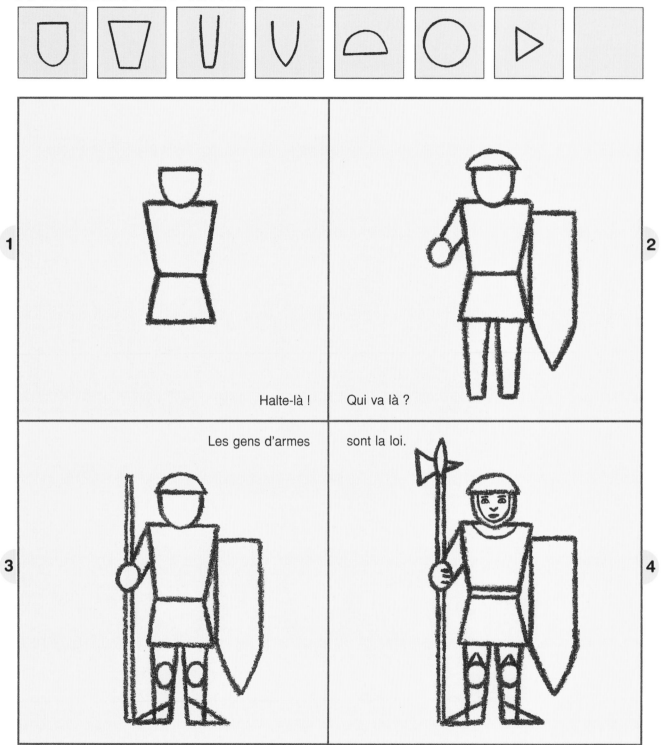

1 Halte-là !

2 Qui va là ?

3 Les gens d'armes

4 sont la loi.

Le garde

vocabulaire de formes

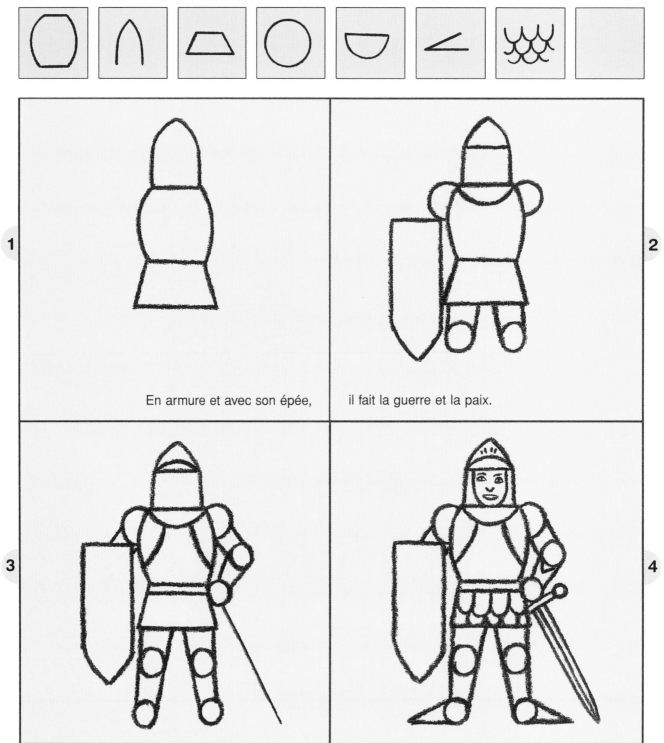

En armure et avec son épée,

il fait la guerre et la paix.

Le seigneur

vocabulaire de formes

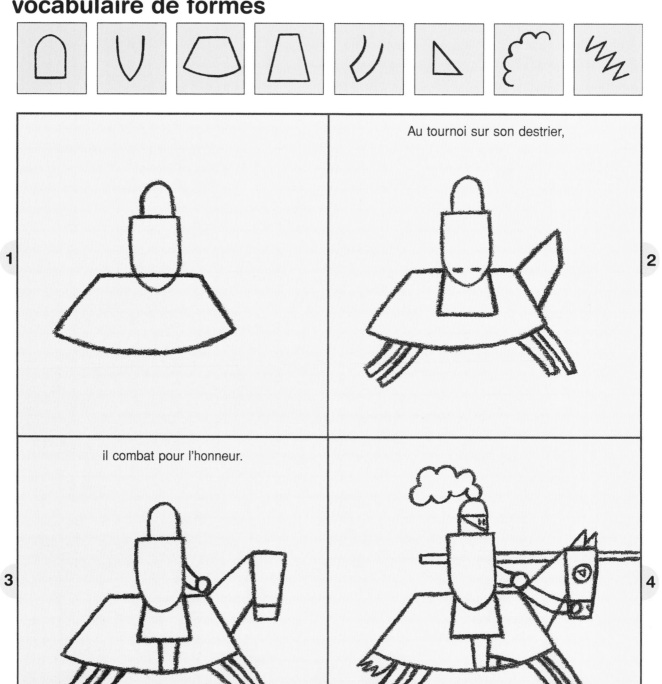

Au tournoi sur son destrier,

il combat pour l'honneur.

Le chevalier

La trompette sonne. De la tribune, la Dame salue les chevaliers.
Que le meilleur gagne !

Imagine les tournois du Moyen Âge et dessine-les.

Loi n°49-956 du 16 juillet 1949 sur les publications destinées à la jeunesse.

Direction éditoriale : Christophe Savouré
Édition : Françoise Ancey
Direction artistique : Armelle Riva, Danielle Capellazzi
Couverture : Armelle Riva
Conception graphique de la collection : Isabelle Bochot

© 2007 Fleurus Éditions (1re édition 1999)
15/27 rue Moussorgski, 75018 Paris
Dépôt légal : mai 2007
ISBN : 978-2-215-09408-1
ISSN : 1257-9629
10e édition - N° P14115

Imprimé en France par Pollina en août 2014 - L69822g